Ricettario de Chetogenica

Ricette della dieta chetogenica per la perdita di peso e per una vita sana. Abbassare il colesterolo e il diabete con ricette facili e veloci.

Velocizza il tuo Metabolismo.

Indice

Inoltre, la trasmissione, la duplicazione o la riproduzione di una qualsiasi delle seguenti opere, incluse informazioni specifiche, sarà considerata un atto illegale, indipendentemente dal fatto che sia effettuata elettronicamente o su carta. Ciò si estende alla creazione di una copia secondaria o terziaria dell'opera o di una copia registrata ed è consentita solo con l'espresso consenso scritto dell'Editore. Tutti i diritti aggiuntivi sono riservati.

Le informazioni contenute nelle pagine seguenti sono considerate, in linea di massima, un resoconto veritiero e accurato dei fatti e, in quanto tali, qualsiasi disattenzione, uso o abuso delle informazioni in questione da parte del lettore renderà qualsiasi azione risultante esclusivamente di loro competenza. Non esistono scenari in cui l'editore o l'autore originale di quest'opera possa essere in alcun modo ritenuto responsabile per eventuali disagi o danni che potrebbero verificarsi dopo aver intrapreso le informazioni qui descritte.

Inoltre, le informazioni contenute nelle pagine seguenti sono da intendersi solo a scopo informativo e vanno quindi considerate come universali. Come si addice alla loro natura, esse vengono presentate senza garanzie sulla loro validità prolungata o sulla loro qualità provvisoria. I marchi menzionati sono fatti senza il consenso scritto e non possono in alcun modo essere considerati un'approvazione da parte del titolare del marchio.

INTRODUZIONE

Quindi la Dieta Ketogenica è tutta una questione di riduzione della quantità di carboidrati che si mangia. Questo significa che non otterrete il tipo di energia di cui avete bisogno per la giornata? Certo che no! Significa solo che ora il vostro corpo deve trovare altre possibili fonti di energia. Sapete dove troveranno quell'energia?

Anche prima di parlare di come si fa il keto - è importante prima di tutto considerare il motivo per cui questa particolare dieta funziona. Cosa succede realmente al vostro corpo per farvi perdere peso?

Come probabilmente sapete, il corpo usa il cibo come fonte di energia. Tutto ciò che si mangia viene trasformato in energia, in modo da potersi alzare e fare tutto ciò che è necessario per la giornata. La fonte di energia principale è lo zucchero, quindi quello che succede è che si mangia qualcosa, il corpo lo scompone in zucchero e lo zucchero viene trasformato in energia. In genere, lo "zucchero" viene preso direttamente dal cibo che mangiate, quindi se mangiate la giusta quantità di cibo, il vostro corpo viene alimentato per l'intera giornata. Se mangiate troppo, lo zucchero viene immagazzinato nel vostro corpo - da qui l'accumulo di grasso.

Ma cosa succede se si mangia meno cibo? Qui entra in gioco la Dieta Ketogenica. Vedete, il processo di creazione dello zucchero dal cibo è di solito più veloce se il cibo è ricco di carboidrati. Pane, riso, cereali, pasta - tutti questi sono carboidrati e sono i tipi di cibo più facili da trasformare in energia.

Quindi ecco la situazione: mangiate meno carboidrati ogni giorno. Per mantenere l'energia, il corpo scompone i grassi immagazzinati e li trasforma in molecole chiamate corpi chetonici. Il processo di trasformazione del grasso in corpi chetonici si chiama "chetosi" e ovviamente - è da qui che deriva il nome della Dieta Ketogenica. I corpi chetonici prendono il posto del glucosio nel mantenere l'energia. Finché manterrete i vostri carboidrati ridotti, il corpo continuerà a ricevere la sua energia dal vostro grasso corporeo.

La Dieta Ketogenica è spesso elogiata per la sua semplicità e, se la si guarda bene, il processo è davvero semplice. La scienza che sta dietro l'efficacia della dieta è anche ben documentata, ed è stata dimostrata più volte da diversi campi medici. Ad esempio, un articolo su Diet Review di Harvard ha fornito una lunga discussione su come funziona la Dieta Ketogenica e perché è così efficace per coloro che scelgono di utilizzare questa dieta.

Ma il grasso è il nemico... o lo è?

No - il grasso NON è il nemico. Purtroppo, anni di cattiva scienza ci hanno detto che il grasso è qualcosa da evitare - ma in realtà è una cosa molto utile per la perdita di peso! Anche prima di andare avanti con questo libro, dovremo discutere esattamente cosa sono i "grassi sani" e perché sono in realtà i buoni. Per fare questo, dobbiamo fare una distinzione tra i diversi tipi di grasso. Probabilmente ne avrete già sentito parlare e all'inizio è un po' confuso. Cercheremo di esaminarli nel modo più semplice possibile:

Grasso saturo. Questo è il tipo che si vuole evitare. Sono anche chiamati "grasso solido" perché ogni molecola è piena di atomi di idrogeno. In parole povere, è il tipo di grasso che può facilmente causare un blocco nel vostro corpo. Può aumentare i livelli di colesterolo e portare a problemi cardiaci o a un ictus. Il grasso saturo è qualcosa che si può trovare nella carne, nei latticini e in altri prodotti alimentari trasformati. Ora, probabilmente vi starete chiedendo: la Dieta Ketogenica non è ricca di grassi saturi? La risposta è: non necessariamente. Troverete più avanti nelle ricette, dato che la Dieta Ketogenica promuove principalmente i grassi insaturi o i grassi sani. Anche se ci sono sicuramente molte ricette di carne nella lista, la maggior parte di queste ricette contiene fonti di grasso sano.

Grassi insaturi. Questi sono quelli che vengono definiti grassi sani. Sono il tipo di grasso che si trova nell'avocado, nelle noci e in altri ingredienti che di solito si trovano nelle ricette Keto-friendly. Sono noti per abbassare il colesterolo nel sangue e in realtà sono di due tipi: polinsaturi e monoinsaturi. Entrambi fanno bene al vostro corpo, ma i benefici variano leggermente, a seconda di ciò che state consumando.

Costolette di agnello messicano

Tempo di preparazione: 10 minuti

Tempo di cottura: 15 minuti

Porzioni: 4

Ingredienti:

- 4 costolette d'agnello
- 1 cucchiaio di condimento messicano
- 2 cucchiai di olio di sesamo
- 1 cucchiaino di burro

Indicazioni:

1. Strofinare le costolette d'agnello con condimenti messicani.
2. Poi sciogliere il burro nella padella. Aggiungere olio di sesamo.
3. Poi aggiungere le costolette d'agnello e arrostire per 7 minuti per lato a fuoco medio.

Nutrizione: Calorie 323 Grassi 14 Fibre 0 Carboidrati 1,1 Proteine 24,1

Stufato di agnello tenero

Tempo di preparazione: 10 minuti

Tempo di cottura: 60 minuti

Porzioni: 4

Ingredienti:

- Filetto di agnello da un chilo, tritato
- 3 tazze d'acqua
- 1 zucchina, tritata
- ½ tazza di porro, tritato
- 1 cucchiaino di paprika macinata
- 1 cucchiaino di pepe di cayenna
- 1 cucchiaino di sale
- 1 cucchiaino di burro

Indicazioni:

1. Mettere tutti gli ingredienti nella casseruola, mescolare il composto e chiudere il coperchio.
2. Cuocere lo stufato a fuoco medio-basso per 60 minuti.

Nutrizione: Calorie 237 Grassi 9,5 Fibre 9,5 Fibre 1,1 Carboidrati 3,8 Proteine 32,7

Agnello alla calce

Tempo di preparazione: 10 minuti

Tempo di cottura: 40 minuti

Porzioni: 4

Ingredienti:

- 2 stinchi d'agnello
- ½ calce
- 1 cucchiaino di sale
- 1 cucchiaino di eritritolo
- 3 cucchiai di burro

Indicazioni:

1. Sciogliere il burro nella casseruola.
2. Aggiungere gli stinchi d'agnello nel burro caldo e arrostirli per 5 minuti per lato a fuoco medio.
3. Poi cospargere la carne con sale ed eritritolo.
4. Chiudere il coperchio e far bollire la carne a fuoco lento per 30 minuti.

Nutrizione: Calorie 158 Grassi 11,8 Fibre 0,2 Carboidrati 0,2 Carboidrati 2,1 Proteine 12,1

Salsa di agnello con menta e limone

Tempo di preparazione: 10 minuti

Tempo di cottura: 45 minuti

Porzioni: 4

Ingredienti:

- Filetto di agnello di 1 libbra
- 1 cucchiaino di menta secca
- 1 cucchiaino di scorza di limone, grattugiato
- 2 tazze d'acqua
- 1 carota, tritata
- 1 cucchiaino di concentrato di pomodoro keto
- 1 cucchiaino di pepe di cayenna

Indicazioni:

1. Tritare grossolanamente il filetto d'agnello e metterlo nella casseruola.
2. Arrostire la carne per 2 minuti per lato.
3. Aggiungere menta secca, scorza di limone, carota, concentrato di pomodoro keto e pepe di Caienna.

4. Quindi aggiungere acqua e mescolare accuratamente gli ingredienti.
5. Chiudere il coperchio e cuocere la casseruola a fuoco medio per 40 minuti.

Nutrizione: Calorie 220 Grassi 8,4 Fibre 8,4 Fibre 0,6 Carboidrati 2,1 Proteine 32,1

Agnello Pancetta

Tempo di preparazione: 10 minuti

Tempo di cottura: 35 minuti

Porzioni: 5

Ingredienti:

- Filetto di agnello di 1 libbra
- 2 oz. pancetta, a fette
- 1 cucchiaino di peperoncino in polvere
- 1 cucchiaino di curcuma macinata
- 1 cucchiaio di olio di cocco

Indicazioni:

1. Tagliare il filetto di agnello in 5 porzioni.
2. Quindi mescolare la carne con il peperoncino in polvere e la curcuma macinata.
3. Dopo questo, avvolgere ogni filetto d'agnello con pancetta.
4. Preriscaldare l'olio di cocco nella padella.
5. Aggiungere la carne e arrostire per 3 minuti.
6. Dopo di che, trasferire la carne nel forno preriscaldato a 360F e cuocere per 30 minuti.

Nutrizione: Calorie 257 Grassi 14,2 Fibra 0,3 Carboidrati 0,7 Proteine 29,8

Agnello dolce con origano

Tempo di preparazione: 10 minuti

Tempo di cottura: 25 minuti

Porzioni: 4

Ingredienti:

- Filetto di agnello da 1 libbra, affettato
- 1 cucchiaino di origano essiccato
- 1 cucchiaino di eritritolo
- 3 cucchiai di burro
- 1 cucchiaio di aceto di sidro di mele

Indicazioni:

1. Sciogliere il burro nella pentola.
2. Aggiungere origano secco, eritritolo e aceto di sidro di mele. Portare il liquido ad ebollizione.
3. Aggiungere il filetto di agnello a fette e arrostire per 20 minuti. Mescolare la carne di tanto in tanto.

Nutrizione: Calorie 289 Grassi 17 Fibre 0,2 Carboidrati 1,5 Proteine 32

Insalata di vitello e cavolo

Tempo di preparazione: 10 minuti

Tempo di cottura: 0 minuti

Porzioni: 4

Ingredienti:

- Carne di vitello da un chilo, bollita, tagliata a pezzi
- 1 tazza di cavolo bianco, tritato
- 1 cucchiaio di olio d'oliva
- 1 cucchiaino di aceto di sidro di mele
- 1 cucchiaino di aneto essiccato
- 1 cucchiaino di sale

Indicazioni:

1. Mettere tutti gli ingredienti nell'insalatiera.
2. Mescolare con cura l'insalata.

Nutrizione: Calorie 230 Grassi 12,1 Fibra 0,5 Carboidrati 1,2 Proteine 27,9

Agnello alla noce moscata

Tempo di preparazione: 15 minuti

Tempo di cottura: 25 minuti

Porzioni: 4

Ingredienti:

- 13 oz. rack di agnello
- 1 cucchiaino di noce moscata macinata
- 1 cucchiaio di olio di cocco
- ½ cucchiaino di pepe nero macinato

Indicazioni:

1. Strofinare l'agnello con noce moscata macinata e pepe nero macinato.
2. Poi sciogliere l'olio di cocco nella padella.
3. Aggiungere la rastrelliera di agnello e arrostire a fuoco medio per 10 minuti per lato.

Nutrizione: Calorie 188 Grassi 11,8 Fibra 0,2 Fibre 0,2 Carboidrati 0,4 Proteine 18,8

Olio ed Erbe Agnello

Tempo di preparazione: 10 minuti

Tempo di cottura: 65 minuti

Porzioni: 4

Ingredienti:

- 11 oz. di agnello, rifilato
- 3 cucchiai di olio d'oliva
- 1 cucchiaio di condimento italiano

Indicazioni:

1. Mescolare i condimenti italiani con l'olio d'oliva.
2. Poi cospargere la rastrelliera di agnello con il composto oleoso e cuocere in forno a 360F per 65 minuti.
3. Tagliare l'agnello cotto a fette.

Nutrizione: Calorie 232 Grassi 18,4 Fibra 0 Carboidrati 0,4 Proteine 15,9

Costolette di agnello al pomodoro

Tempo di preparazione: 10 minuti

Tempo di cottura: 30 minuti

Porzioni: 4

Ingredienti:

- Costolette di agnello da 11 once, tritate grossolanamente
- 2 cucchiaini di concentrato di pomodoro keto
- 2 cucchiai di olio di sesamo
- 1 cucchiaino di pepe di cayenna
- 1 cucchiaio di aceto di sidro di mele

Indicazioni:

1. Costolette di agnello arrosto nell'olio di sesamo per 4 minuti per lato.
2. Poi aggiungere il concentrato di pomodoro keto, il pepe di Caienna, l'aceto di sidro di mele e il concentrato di pomodoro keto.
3. Mescolare con cura le costolette d'agnello e chiudere il coperchio.
4. Cuocere le costolette di agnello a fuoco medio per 20 minuti.

Nutrizione: Calorie 222 Grassi 14,5 Fibra 0,2 Carboidrati 0,8 Proteine 20,9

Cibo di Mare

Salmone con fagiolini

Tempo di preparazione: 10 minuti

Tempo di cottura: 20 minuti

Dosi: 2

Ingredienti

- 6 oz. di fagiolini
- 3 oz. di burro non salato
- 2 filetti di salmone
- Stagionatura:
- ½ cucchiaino di aglio in polvere
- ½ cucchiaino di sale
- ½ cucchiaino di pepe nero incrinato

Indicazioni:

1. Prendete una padella, metteteci del burro e quando inizia a sciogliersi, aggiungete i fagioli e il salmone in filetti, condite con aglio in polvere, sale e pepe nero e fate cuocere per 8 minuti fino a quando il salmone

non è cotto, girando a metà e mescolando spesso i fagioli.

2. Al termine, dividere uniformemente il salmone e i fagiolini tra due piatti e servire.

Nutrizione: 352 Calorie; 29 g di grassi; 19 g di proteine; 3,5 g di carboidrati netti; 1,5 g di fibre;

Salmone in padella

Tempo di preparazione: 10 minuti

Tempo di cottura: 20 minuti

Dosi: 2

Ingredienti

- 2 filetti di salmone
- 2 oz. di fiori di cavolfiore
- 2 oz. di cimette di broccoli
- 1 cucchiaino di aglio tritato
- 1 cucchiaio di coriandolo tritato
- Stagionatura:

- 2 cucchiai di olio di cocco
- 2/3 cucchiai di sale
- ¼ di cucchiaino di pepe nero macinato

Indicazioni:

1. Accendere il forno, quindi impostarlo a 400 gradi F e lasciarlo preriscaldare.
2. Mettere l'olio in una piccola ciotola, aggiungere l'aglio e il coriandolo, mescolare bene e mettere nel microonde per 1 minuto o fino a quando l'olio non si sarà sciolto.
3. Prendete una teglia da forno orlata, metteteci cavolfiore e cimette di broccoli, irrorate con 1 cucchiaio di olio di cocco, condite con 1/3 di sale, 1/8 di pepe nero e cuocete in forno per 10 minuti.
4. Poi spingere le verdure a lato, mettere i filetti di salmone nella padella, irrorare con il restante composto di olio di cocco, condire con il sale e il pepe nero rimasti su entrambi i lati e cuocere per 10 minuti fino a quando il salmone non sarà tenero come una forchetta.
5. Servire.

Nutrizione: 450 Calorie; 23,8 g di grassi; 36,9 g di proteine; 5,9 g di carboidrati netti; 2,4 g di fibre;

Pesce con cavolo e olive

Tempo di preparazione: 5 minuti

Tempo di cottura: 12 minuti

Dosi: 2

Ingredienti

- 2 filetti sbiancanti pacifici
- 2 oz. cavolo riccio tritato
- 3 cucchiai di olio di cocco

- 2 scalogni, tagliati
- 6 olive verdi
- Stagionatura:
- 1/2 cucchiaino di sale
- 1/3 cucchiaino di pepe nero macinato
- 3 gocce di stevia liquida

Indicazioni:

1. Prendete una padella grande, mettetela a fuoco medio-alto, aggiungete 4 cucchiai d'acqua, poi aggiungete il cavolo, saltate e fate cuocere per 2 minuti fino a quando le foglie saranno appassite ma verdi.
2. Una volta fatto, trasferire il cavolo in un colino posto su una ciotola e metterlo da parte fino a quando non sarà necessario.
3. Pulire la padella, aggiungere 2 cucchiai di olio e attendere che si sciolga.
4. Condite i filetti con 1/3 di cucchiaino di sale e ¼ di cucchiaio di pepe nero, metteteli nella padella a testa in su e fateli cuocere per 4 minuti per lato fino a quando la forchetta sarà tenera.
5. Trasferire i filetti in un piatto, aggiungere l'olio rimasto in padella, poi aggiungere lo scalogno e le olive e far cuocere per 1 minuto.

6. Rimettere i cavoli in padella, mescolare fino a quando non sono mescolati, cuocere per 1 minuto fino a quando sono caldi e poi condire con il sale rimasto e il pepe nero.
7. Dividere la miscela di cavoli in due piatti, guarnire con filetti cotti e servire.

Nutrizione: 454 Calorie; 35,8 g di grassi; 16 g di proteine; 13,5 g di carboidrati netti; 3,5 g di fibre;

Cardamomo Salmone

Tempo di preparazione: 5 minuti

Tempo di cottura: 20 minuti

Dosi: 2

Ingredienti

- 2 filetti di salmone
- ¾ cucchiaino di sale

- 2/3 cucchiai di cardamomo a terra
- 1 cucchiaio di stevia liquida
- 1 ½ cucchiaio e mezzo di olio di avocado

Indicazioni:

1. Accendere il forno, quindi impostarlo a 275 gradi F e lasciarlo preriscaldare.
2. Nel frattempo, preparate la salsa e per questo, mettete l'olio in una piccola ciotola, e sbattete in cardamomo e stevia fino ad unirli.
3. Prendete una teglia da forno, metteteci il salmone, spennellatelo con la salsa preparata su tutti i lati e lasciatelo marinare per 20 minuti a temperatura ambiente.
4. Quindi condire il salmone con sale e cuocere in forno per 15-20 minuti fino a cottura completa.
5. Una volta fatto, scaglie di salmone in fiocchi con due forchette e poi servire.

Nutrizione: 143,3 Calorie; 10,7 g di grassi; 11,8 g di proteine; 0 g di carboidrati netti; 0 g di fibre;

Salmone al burro d'aglio

Tempo di preparazione: 10 minuti

Tempo di cottura: 15 minuti

Dosi: 2

Ingredienti

- 2 filetti di salmone, senza pelle
- 1 cucchiaino di aglio tritato
- 1 cucchiaio di coriandolo tritato
- 1 cucchiaio di burro non salato
- 2 cucchiai di formaggio cheddar grattugiato

- Stagionatura:
- ½ cucchiaino di sale
- ¼ di cucchiaino di pepe nero macinato

Indicazioni:

1. Accendere il forno, quindi impostarlo a 350 gradi F e lasciarlo preriscaldare.
2. Nel frattempo, prendendo una teglia da forno orlata, ungerla con l'olio, mettervi sopra i filetti di salmone, condirli con sale e pepe nero da entrambi i lati.
3. Mescolare il burro, il coriandolo e il formaggio fino ad ottenere un composto omogeneo, poi ricoprire il composto su entrambi i lati del salmone in uno strato uniforme e cuocere in forno per 15 minuti fino a cottura completa.
4. Poi accendere il pollaio e continuare a cuocere il salmone per 2 minuti fino a quando la parte superiore è di colore marrone dorato.
5. Servire.

Nutrizione: 128 Calorie; 4,5 g di grassi; 41 g di proteine; 1 g di carboidrati netti; 0 g di fibre;

Tonno saltato in padella con verdure

Tempo di preparazione: 5 minuti;

Tempo di cottura: 15 minuti

Dosi: 2

Ingredienti

- 4 oz. di tonno, confezionato in acqua
- 2 oz. di cimette di broccoli
- ½ di peperone rosso, torsolo, tagliato a fette
- ½ cucchiaino di aglio tritato

- ½ cucchiaino di semi di sesamo
- Stagionatura:
- 1 cucchiaio di olio di avocado
- 2/3 cucchiai di salsa di soia
- 2/3 cucchiai di aceto di sidro di mele
- 3 cucchiai d'acqua

Indicazioni:

1. Prendete una padella, aggiungete mezzo cucchiaio d'olio e, quando sarà caldo, aggiungete il peperone e cuocete per 3 minuti fino a quando non avrete raggiunto la cottura.
2. Aggiungere quindi la farinetta di broccoli, irrorare con acqua e continuare la cottura per 3 minuti fino a cottura a vapore, coprendo la padella.
3. Scoprire la padella, cuocere per 2 minuti fino a quando tutto il liquido non è evaporato, quindi spingere il peperone su un lato della padella.
4. Aggiungere l'olio rimasto nell'altro lato della padella, aggiungere il tonno e far cuocere per 3 minuti fino a quando non sarà scottato su tutti i lati.
5. Quindi cospargere con salsa di soia e aceto, gettare tutti gli ingredienti nella padella fino a quando non sono mescolati e cospargere con semi di sesamo.
6. Servire.

Nutrizione: 99,7 Calorie; 5,1 g di grassi; 11 g di proteine; 1,6 g di carboidrati netti; 1 g di fibre;

Pesce al forno con Feta e pomodoro

Tempo di preparazione: 5 minuti

Tempo di cottura: 15 minuti

Dosi: 2

Ingredienti

- 2 filetti sbiancanti pacifici

- 1 scalogno, tritato
- 1 pomodoro Roma, tritato
- 1 cucchiaino di origano fresco
- 1 oncia di formaggio feta, sbriciolato
- Stagionatura:
- 2 cucchiai di olio di avocado
- 1/3 cucchiaino di sale
- 1/4 cucchiaino di pepe nero macinato
- ¼ di pepe rosso tritato

Indicazioni:

1. Accendere il forno, quindi impostarlo a 400 gradi F e lasciarlo preriscaldare.
2. Prendere una padella media, metterla a fuoco medio, aggiungere l'olio e quando è calda, aggiungere lo scalogno e far cuocere per 3 minuti.
3. Aggiungere i pomodori, mescolare ½ cucchiaio di origano, 1/8 di sale, pepe nero, pepe rosso, versare ¼ di tazza d'acqua e portare a bollore.
4. Cospargere il sale rimasto sui filetti, aggiungere alla padella, irrorare con l'olio rimasto e poi cuocere in forno per 10-12 minuti fino a quando i filetti non diventano teneri con la forchetta.
5. Al termine, guarnire il pesce con l'origano e il formaggio rimasti e poi servire.

Nutrizione: 427,5 Calorie; 29,5 g di grassi; 26,7 g di proteine; 8 g di carboidrati netti; 4 g di fibre;

Salmone glassato al peperoncino

Tempo di preparazione: 5 minuti

Tempo di cottura: 10 minuti

Dosi: 2

Ingredienti

- 2 filetti di salmone
- 2 cucchiai di salsa dolce al peperoncino
- 2 cucchiai di erba cipollina tritata
- ½ cucchiaino di semi di sesamo

Indicazioni:

1. Accendere il forno, quindi impostarlo a 400 gradi F e lasciarlo preriscaldare.
2. Nel frattempo, mettere il salmone in un piatto poco profondo, aggiungere la salsa al peperoncino e l'erba cipollina e mescolare.
3. Trasferite il salmone preparato su una teglia foderata con una teglia di pergamena, irrorate con il sugo rimasto e cuocete in forno per 10 minuti fino a cottura completa.
4. Guarnire con semi di sesamo e servire.

Nutrizione: 112,5 Calorie; 5,6 g di grassi; 12 g di proteine; 3,4 g di carboidrati netti; 0 g di fibre;

Piatti di Tonno, Spinaci e Uova alla crema

Tempo di preparazione: 5 minuti

Tempo di cottura: 0 minuti

Dosi: 2

Ingredienti

- 2 oz. di foglie di spinaci
- 2 oz. di tonno, confezionato in acqua
- 2 uova, bollite

- 4 cucchiai di formaggio cremoso, grasso intero
- Stagionatura:
- ¼ di cucchiaino di sale
- 1/8 cucchiaino di pepe nero macinato

Indicazioni:

1. Prendete due piatti e distribuite uniformemente spinaci e tonno tra di loro.
2. Sbucciare le uova, tagliarle a metà, dividerle tra i piatti e condirle con sale e pepe nero.
3. Servire con crema di formaggio.

Nutrizione: 212 Calorie; 14,1 g di grassi; 18 g di proteine; 1,9 g di carboidrati netti; 1,3 g di fibre;

Tonno e avocado

Tempo di preparazione: 5 minuti

Tempo di cottura: 0 minuti

Dosi: 2

Ingredienti

- 2 oz. di tonno, confezionato in acqua
- 1 avocado, snocciolato
- 8 olive verdi
- ½ tazza di maionese a mezza tazza, grasso integrale
- Stagionatura:
- 1/3 cucchiaino di sale

- 1/4 cucchiaino di pepe nero macinato

Indicazioni:

1. Tagliare l'avocado a metà, poi togliere la fossa, raccogliere la carne e distribuirla tra due piatti.
2. Aggiungere il tonno e le olive verdi e poi condire con sale e pepe nero.
3. Servire con maionese.

Nutrizione: 680 Calorie; 65,6 g di grassi; 10,2 g di proteine; 2,2 g di carboidrati netti; 9,7 g di fibre;

Aglio Origano Pesce Origano

Tempo di preparazione: 5 minuti

Tempo di cottura: 12 minuti

Dosi: 2

Ingredienti

- 2 filetti sbiancanti pacifici
- 1 cucchiaino di aglio tritato
- 1 cucchiaio di burro non salato
- 2 cucchiai di origano essiccato

- Stagionatura:
- 1/3 cucchiaino di sale
- 1/4 cucchiaino di pepe nero macinato

Indicazioni:

1. Accendere il forno, quindi impostarlo a 400 gradi F e lasciarlo preriscaldare.
2. Nel frattempo, prendere un pentolino, metterlo a fuoco basso, aggiungere il burro e quando si scioglie, mescolare l'aglio e far cuocere per 1 minuto, togliere il tegame dal fuoco.
3. Condite i filetti con sale e pepe nero e metteteli su una teglia unta d'olio.
4. Versare il composto di burro sui filetti, poi cospargere con l'origano e cuocere in forno per 10-12 minuti fino a cottura completa.
5. Servire.

Nutrizione: 199,5 Calorie; 7 g di grassi; 33,5 g di proteine; 0,9 g di carboidrati netti; 0,1 g di fibre;

Salmone avvolto nella pancetta

Tempo di preparazione: 5 minuti

Tempo di cottura: 10 minuti

Dosi: 2

Ingredienti

- 2 filetti di salmone, tagliati in quattro pezzi
- 4 fette di pancetta
- 2 cucchiai di olio di avocado
- 2 cucchiai di maionese

- Stagionatura:
- ½ cucchiaino di sale
- ½ cucchiaino di pepe nero macinato

Indicazioni:

1. Accendere il forno, quindi impostarlo a 375 gradi F e lasciarlo preriscaldare.
2. Nel frattempo, mettete una padella, mettetela a fuoco medio-alto, aggiungete l'olio e lasciate riscaldare.
3. Condite i filetti di salmone con sale e pepe nero, avvolgete ogni filetto di salmone con una fetta di pancetta, poi aggiungete nella padella e fate cuocere per 4 minuti, girando a metà.
4. Quindi trasferire la padella contenente il salmone in forno e cuocere il salmone per 5 minuti fino a cottura completa.
5. Servire salmone con maionese

Nutrizione: 190,7 Calorie; 16,5 g di grassi; 10,5 g di proteine; 0 g di carboidrati netti; 0 g di fibre;

Piatto di pesce e spinaci

Tempo di preparazione: 10 minuti

Tempo di cottura: 10 minuti

Dosi: 2

Ingredienti

- 2 filetti sbiancanti pacifici
- 2 oz. di spinaci
- ½ tazza di maionese

- 1 cucchiaio di olio di avocado
- 1 cucchiaio di burro non salato
- Stagionatura:
- 1/2 cucchiaino di sale
- 1/3 cucchiaino di pepe nero macinato

Indicazioni:

1. Prendete una padella, mettetela a fuoco medio, aggiungete il burro e aspettate che si sciolga.
2. Condire i filetti con 1/3 di cucchiaino di sale e ¼ di cucchiaio di pepe nero, aggiungere alla padella e far cuocere per 5 minuti per lato fino a doratura e cottura completa.
3. Trasferire i filetti in due piatti, quindi distribuirvi gli spinaci, irrorare con olio e condire con il sale rimasto e il pepe nero.
4. Servire con maionese.

Nutrizione: 389 Calorie; 34 g di grassi; 7,7 g di proteine; 10,6 g di carboidrati netti; 2 g di fibre

Piatto di pesce e uova

Tempo di preparazione: 5 minuti;

Tempo di cottura: 10 minuti

Dosi: 2

Ingredienti

- 2 uova
- 1 cucchiaio di burro non salato
- 2 filetti sbiancanti pacifici

- ½ oz. di lattuga tritata
- 1 scalogno, tritato
- Stagionatura:
- 3 cucchiai di olio di avocado
- 1/3 cucchiaino di sale
- 1/3 cucchiaino di pepe nero macinato

Indicazioni:

1. Cuocete le uova e per questo, prendete una padella, mettetela a fuoco medio, aggiungete il burro e quando si scioglie, rompete l'uovo nella padella e cuocete per 2 o 3 minuti fino a quando non sarà fritto a piacere.
2. Trasferire l'uovo fritto in un piatto e poi cuocere l'uovo rimanente nello stesso modo.
3. Nel frattempo, condire i filetti di pesce con ¼ di cucchiaino di sale e pepe nero.
4. Quando le uova sono fritte, cospargerle di sale e pepe nero, quindi aggiungere 1 cucchiaio d'olio nella padella, aggiungere i filetti e cuocere per 4 minuti per lato fino a cottura completa.
5. Al termine, distribuire i filetti nel piatto, aggiungere la lattuga e lo scalogno, irrorare con l'olio rimasto e servire.

Tilapia alle erbe in crosta

Tempo di preparazione: 5 minuti

Tempo di cottura: 10 minuti

Dosi: 2

Ingredienti

- 2 filetti di tilapia

- ½ cucchiaino di aglio in polvere
- ½ cucchiaino di condimento italiano
- ½ cucchiaino di prezzemolo essiccato
- 1/3 cucchiaino di sale
- Stagionatura:
- 2 cucchiai di burro fuso, non salato
- 1 cucchiaio di olio di avocado

Indicazioni:

1. Accendere il pollivendola e lasciarla preriscaldare.
2. Nel frattempo, prendere una piccola ciotola, mettervi dentro del burro fuso, mescolare con olio e aglio in polvere fino a quando non si è mescolato, e poi spennellare questo composto sopra i filetti di tilapia.
3. Mescolare insieme le spezie rimanenti e poi cospargerle generosamente sulla tilapia fino a quando non sono ben rivestite.
4. Mettete la tilapia condita in una teglia da forno, mettete la teglia sotto la griglia e poi cuocete per 10 minuti fino a quando sarà tenera e dorata, spennellando con il burro all'aglio ogni 2 minuti.
5. Servire.

Nutrizione: 520 Calorie; 35 g di grassi; 36,2 g di proteine; 13,6 g di carboidrati netti; 0,6 g di fibre;

Bombe di grasso di salmone affumicato

Tempo di preparazione: 5 minuti

Tempo di cottura: 0 minuti

Dosi: 2

Ingredienti

- 2 cucchiai di formaggio cremoso, ammorbidito
- 1 oncia di salmone affumicato
- 2 cucchiai di bagel condimento

Indicazioni:

1. Prendete una ciotola di media grandezza, metteteci crema di formaggio e salmone e mescolate fino a quando non sono ben combinati.
2. Modellare il composto in ciotole, arrotolarle nel condimento per bagel e poi servire.

Nutrizione: 65 Calorie; 4,8 g di grassi; 4 g di proteine; 0,5 g di carboidrati netti; 0 g di fibre;

Gamberetti Uova alla diavola

Tempo di preparazione: 5 minuti

Tempo di cottura: 0 minuti

Dosi: 2

Ingredienti

- 2 uova, bollite
- 2 oz. gamberetti, cotti, tritati
- ½ cucchiaino di salsa tabasco

- ½ cucchiaino di pasta di senape
- 2 cucchiai di maionese
- Stagionatura:
- 1/8 di cucchiaino di sale
- 1/8 cucchiaino di pepe nero macinato

Indicazioni:

1. Sbucciate le uova sode, poi tagliatele a metà nel senso della lunghezza e trasferite i tuorli in una ciotola media con un cucchiaio.
2. Schiacciare il tuorlo d'uovo, aggiungere gli ingredienti rimanenti e mescolare fino ad ottenere una buona combinazione.
3. Cucchiaiate il composto di tuorli d'uovo in albumi, e poi servite.

Nutrizione: 210 Calorie; 16,4 g di grassi; 14 g di proteine; 1 g di carboidrati netti; 0,1 g di fibre;

Tonno Melt Jalapeno Peperoni

Tempo di preparazione: 5 minuti

Tempo di cottura: 10 minuti

Dosi: 2

Ingredienti

- 4 peperoni jalapeno
- 1 oncia di tonno, confezionato in acqua
- 1 oncia di formaggio cremoso ammorbidito
- 1 cucchiaio di parmigiano grattugiato
- 1 cucchiaio di mozzarella grattugiata
- Stagionatura:

- 1 cucchiaino di sottaceti di aneto tritato
- 1 cipolla verde, parte verde solo a fette

Indicazioni:

1. Accendere il forno, quindi impostarlo a 400 gradi F e lasciarlo preriscaldare.
2. Preparate i peperoni e per questo, tagliate ogni peperone a metà nel senso della lunghezza ed eliminate i semi e il gambo.
3. Prendete una ciotola piccola, metteteci il tonno, aggiungete gli ingredienti rimanenti tranne i formaggi, e poi mescolate fino ad unirli.
4. Cucchiare il composto di tonno in peperoni, cospargervi sopra il formaggio e poi cuocere per 7-10 minuti fino a quando il formaggio non sarà diventato dorato.
5. Servire.

Nutrizione: 104 Calorie; 6,2 g di grassi; 7 g di proteine; 2,1 g di carboidrati netti; 1,1 g di fibre;

Rotoli di salmone e cetriolo

Tempo di preparazione: 15 minuti

Tempo di cottura: 0 minuti

Dosi: 2

Ingredienti

- 1 cetriolo grande
- 2 oz. di salmone affumicato
- 4 cucchiai di maionese
- 1 cucchiaino di semi di sesamo
- Stagionatura:

- ¼ di cucchiaino di sale
- ¼ di cucchiaino di pepe nero macinato

Indicazioni:

1. Tagliate le estremità del cetriolo, tagliatelo a fette con un pelapatate, quindi mettete metà delle fette di cetriolo in un piatto.
2. Coprire con carta assorbente, stratificare con le fette di cetriolo rimaste, coprire con carta assorbente e lasciar riposare in frigorifero per 5 minuti.
3. Nel frattempo, prendete una ciotola media, metteteci il salmone, aggiungete la maionese, condite con sale e pepe nero, e poi mescolate fino a ben amalgamare.
4. Togliete le fette di cetriolo dal frigorifero, mettete il salmone su un lato di ogni fetta di cetriolo e poi arrotolate bene.
5. Ripetere con il cetriolo rimasto, cospargere con semi di sesamo e poi servire.

Nutrizione: 269 Calorie; 24 g di grassi; 6,7 g di proteine; 4 g di carboidrati netti; 2 g di fibre;

Insalata di tonno al sesamo

Tempo di preparazione: 35 minuti

Tempo di cottura: 0 minuti

Dosi: 2

Ingredienti

- 6 oz. di tonno in acqua
- ½ cucchiaio di pasta all'aglio fresco
- ½ cucchiaio di semi di sesamo nero, tostato

- 2 cucchiai di maionese
- 1 cucchiaio di olio di sesamo
- Stagionatura:
- 1/8 di cucchiaino di scaglie di pepe rosso

Indicazioni:

1. Prendete una ciotola media, tutti gli ingredienti per l'insalata in essa contenuti tranne il tonno, e poi mescolate fino a ben combinati.
2. Ripiegare il tonno fino a quando non viene mescolato e poi mettere in frigorifero per 30 minuti.
3. Servire.

Nutrizione: 322 Calorie; 25,4 g di grassi; 17,7 g di proteine; 2,6 g di carboidrati netti; 3 g di fibre;

Zuppa di pollo all'enchilada

Tempo di preparazione: 10 minuti

Tempo di cottura: 45 minuti

Porzioni: 4

Ingredienti:

- ½ c. coriandolo fresco, tritato
- 1 ¼ cucchiaino di polvere di peperoncino
- 1 c. pomodori freschi a dadini
- 1 med. cipolla gialla, tagliata a dadini

- 1 sm. peperone rosso a dadini, tagliato a dadini
- 1 cucchiaio di cumino, terra
- 1 cucchiaio di olio extra vergine di oliva
- 1 cucchiaio di succo di lime, fresco
- 1 cucchiaino di origano essiccato
- 2 spicchi d'aglio, tritati
- 2 lg. gambi di sedano, tagliati a dadini
- 4 c. brodo di pollo
- Cosce di pollo da 8 once, disossate e senza pelle, tagliuzzate
- 8 oz. di formaggio cremoso, ammorbidito

Direzione:

1. In una pentola a fuoco medio, olio d'oliva caldo.
2. Una volta caldo, aggiungere sedano, pepe rosso, cipolla e aglio. Cuocere per circa 3 minuti o fino a quando sarà lucido.
3. Mescolare i pomodori nella pentola e lasciare cuocere per altri 2 minuti.
4. Aggiungere i condimenti alla pentola, mescolare in brodo di pollo e portare ad ebollizione.
5. Una volta bollente, abbassare il calore fino a basso e lasciare cuocere a fuoco lento per 20 minuti.
6. Una volta fatto bollire a fuoco lento, aggiungere la crema di formaggio e lasciare che la zuppa torni a bollire. *

7. Abbassate ancora una volta il calore e lasciate cuocere a fuoco lento per altri 20 minuti.
8. Mescolare il pollo tritato nella zuppa con il succo di lime e il coriandolo.
9. Cucchiaio in ciotole e servire caldo!

Nutrizione: Calorie: 420 Carboidrati: 9 grammi Grassi: 29,5 grammi Proteine: 27 grammi

Zuppa di pollo di bufalo

Tempo di preparazione: 20 minuti

Tempo di cottura: 20 minuti

Porzioni: 4

Ingredienti:

- 4 gambi di sedano med. tagliati a dadini
- 2 med. carote, tagliate a dadini
- 4 petti di pollo, disossati e senza pelle
- 6 cucchiai di burro
- 1 qt. di brodo di pollo
- 2 oz. di formaggio cremoso
- ½ c. crema pesante
- ½ c. salsa di bufalo 1 cucchiaino di sale marino
- ½ cucchiaino di timo, essiccato
- Per guarnire:
- Panna acida
- Cipolle verdi a fette sottili
- Il formaggio Bleu si sbriciola

Direzione:

1. Mettete una pentola grande a scaldare a fuoco medio con l'olio d'oliva.
2. Cuocere il sedano e la carota fino a renderli lucidi e teneri. Aggiungere i petti di pollo nella pentola e coprire. Lasciare cuocere circa cinque o sei minuti

per lato. Una volta che il pollo è cotto e ha formato una caramellizzazione su ogni lato, toglierlo dalla pentola.

3. Tritate i petti di pollo e metteteli da parte. Versare il brodo di pollo nella pentola con le carote e il sedano, quindi mescolare la panna, il burro e la crema di formaggio. * Portare la pentola ad ebollizione, poi aggiungere il pollo di nuovo nella pentola. Mescolare la salsa di bufalo nel composto e combinarla completamente. Sentitevi liberi di aumentare o diminuire a piacere.
4. Aggiungere i condimenti, mescolare e abbassare il calore. Lasciate cuocere la zuppa a fuoco lento per 15-20 minuti, o fino a quando tutti i sapori non si sono completamente combinati. Servire caldo con una guarnizione di panna acida, formaggio bleu che si sbriciola e cipolla verde a fette!

Nutrizione: Calorie: 563 Carboidrati: 4 grammi Grassi: 32,5 grammi Proteine: 57 grammi

La Salsa

Tempo di preparazione: 20 minuti

Tempo di cottura: 40 minuti

Porzioni: 1

Ingredienti

- Un piccolo pomodoro
- Un peperoncino thailandese a fette sottili.
- Un cucchiaino di cappero, taglio fine
- Prezzemolo - 2 cucchiaini da tè taglio fine
- 1/4 di succo di limone

Indicazioni stradali

1. Togliete l'occhio dal pomodoro per fare la salsa e affettatelo finemente, facendo in modo che il liquido rimanga il più possibile all'interno. Unire il peperoncino, i capperi, il succo di limone e il prezzemolo. Si può mescolare il tutto, ma il prodotto finale è un po' diverso.
2. Forno a 220 gradi Celsius (425° F), in un cucchiaino, marinare il petto di pollo con un po' di olio e succo di limone. Lasciare riposare da cinque a dieci minuti.
3. Quindi aggiungere il pollo marinato e cuocere da entrambi i lati per circa un minuto, fino a doratura pallida, trasferire in forno (su una teglia, se la teglia non è a prova di forno), da 8 a 10 minuti o fino a cottura. Togliere dal forno, coprire con lo scotch e aspettare fino a quando non si è mangiato per cinque minuti.
4. Nel frattempo cuocere il cavolo a vapore per 5 minuti, aggiungere un po' di burro, soffriggere le cipolle rosse e lo zenzero e poi mescolare nel composto soffice ma non rosolato.
5. Cuocere il grano saraceno con il cucchiaino di curcuma rimasto secondo le istruzioni della confezione. Mangiare riso, pomodori e salsa. Mangiate insieme.

Nutrizione: Calorie: 104, Sodio: 33 mg, Fibre alimentari: 1,6 g, Grassi totali: 4,3 g, Carboidrati totali: 15,3 g, Proteine: 1,3 g.

Salsa piccante Ras-el-Hanout

Tempo di preparazione: 10 minuti

Tempo di cottura: 10 minuti

Dosi: 2

Ingredienti:

- Olio d'oliva
- Fette di limone (succo)
- Cucchiaino di miele
- 1½ cucchiaini da tè Ras el Hanout
- 1/2 peperoni rossi, preparare:

Indicazioni:

1. Togliere i semi dal pepe.
2. Peperoni tritati.
3. Mettere il pepe in una ciotola riempita con succo di limone, miele e Ras-ElHanout e mescolare.
4. Quindi aggiungere l'olio d'oliva goccia a goccia continuando a mescolare. Pentola dolce e salata:

Nutrizione: Calorie: 1495, Sodio: 33 mg, Fibre alimentari: 1,6 g, Grassi totali: 3,1 g, Carboidrati totali: 16,5 g, Proteine: 1,3 g.

Salsa Teriyaki

Tempo di preparazione: 10 minuti

Tempo di cottura: 30 minuti

Porzioni: 1

Ingredienti

- 7fl oz. salsa di soia
- 7fl oz. di succo d'ananas
- 1 cucchiaino di aceto di vino rosso
- Un pezzo di 1 pollice di radice di zenzero fresco, pelato e tritato
- 2 spicchi d'aglio

Indicazioni stradali

1. Mettete gli ingredienti in una casseruola, portateli ad ebollizione, riducete il calore e fate cuocere a fuoco lento per 10 minuti. Lasciate raffreddare e poi togliete l'aglio e lo zenzero. Conservatelo in un contenitore in frigorifero fino a quando non sarà pronto per l'uso. Usatelo come marinata per piatti di carne, pesce e tofu.

Nutrizione: Calorie: 267, Sodio: 33 mg, Fibre alimentari: 1,2 g, Grassi totali: 4,3 g, Carboidrati totali: 16,2 g, Proteine: 1,3 g.

Vinaigrette all'aglio

Tempo di preparazione: 10 minuti

Tempo di cottura: 30 minuti

Porzioni: 1

Ingredienti

- 1 spicchio d'aglio schiacciato
- 4 cucchiai di olio d'oliva
- 1 cucchiaio di succo di limone
- Pepe nero appena macinato

Indicazioni stradali

1. Basta mescolare tutti gli ingredienti. Può essere conservato o utilizzato immediatamente.

Nutrizione: Calorie: 104, Sodio: 35 mg, Fibre alimentari: 1,3 g, Grassi totali: 3,1 g, Carboidrati totali: 16,2 g, Proteine: 1,3 g.

Pesto di cappero al limone

Tempo di preparazione: 10 minuti

Tempo di cottura: 10 minuti

Porzioni: 1

Ingredienti

- 6 cucchiai di foglie di prezzemolo fresco
- 3 spicchi d'aglio
- 2 cucchiai di capperi
- 2oz di anacardi
- 2 cucchiai di olio d'oliva
- 1 cucchiaio di succo di limone

Indicazioni stradali

1. Mettere tutti gli ingredienti in un robot da cucina e blitz fino a quando non sono lisci. Se necessario, aggiungere un po' di olio extra. Servire con pasta, verdure o piatti di carne.

Nutrizione: Calorie: 250, Sodio: 32 mg, Fibre alimentari: 1,6 g, Grassi totali: 4,1 g, Carboidrati totali: 16,4 g, Proteine: 1,5 g.

Pesto di prezzemolo

Tempo di preparazione: 10 minuti

Tempo di cottura: 10 minuti

Porzioni: 1

Ingredienti

- 3oz Parmigiano Reggiano, finemente grattugiato
- 2oz di pinoli
- 6 cucchiai di foglie di prezzemolo fresco, tritato
- 2 spicchi d'aglio
- 2 cucchiai di olio d'oliva

Direzione

1. Mettete tutti gli ingredienti in un robot da cucina o frullate fino ad ottenere una pasta liscia.

Nutrizione: Calorie: 104, Sodio: 32 mg, Fibre alimentari: 1,6 g, Grassi totali: 4,3 g, Carboidrati totali: 16,2 g, Proteine: 1,3 g.

Zuppa di taco a cottura lenta

Tempo di preparazione: 10 minuti

Tempo di cottura: 2 ore

Porzioni: 8

Ingredienti:

- ¼ c. panna acida
- ½ c. formaggio cheddar, tritato
- 2 c. pomodori a dadini
- 2 libbre di carne macinata
- 3 cucchiai di condimento per taco*
- 4 c. brodo di pollo

- 8 oz. di formaggio cremoso, a cubetti**

Direzione:

1. Scaldare una casseruola di media grandezza a fuoco medio e rosolare la carne di manzo.
2. Scolate il grasso della carne di manzo e poi mettetelo nella pentola lenta.
3. Aggiungere i cubetti di formaggio cremoso, il condimento per taco e i pomodori a dadini nella pentola lenta.
4. Aggiungere il brodo di pollo, coprire e lasciare cuocere in alto per due ore.
5. Una volta scaduto il timer, mescolate tutti gli ingredienti e cucinate la zuppa in ciotole.
6. Servire caldo con panna acida e formaggio a pezzetti sopra!
7. *Controllare l'etichetta! Assicuratevi che il condimento per taco che comprate non contenga zuccheri o amidi nascosti.
8. **Il formaggio cremoso è più facile da tagliare quando è molto freddo e se si spalma con cura un po' di olio d'oliva sulla lama del coltello!

Nutrizione: Calorie: 505 Carboidrati: 8,5 grammi Grassi: 31,5 grammi Proteine: 43,5 grammi

Vinaigrette alla noce

Tempo di preparazione: 10 minuti

Tempo di cottura: 10 minuti

Porzioni: 1

Ingredienti

- 1 spicchio d'aglio, tritato finemente
- 6 cucchiai di olio d'oliva
- 3 cucchiai di aceto di vino rosso
- 1 cucchiaio di olio di noce
- Sale marino
- Pepe nero appena macinato

Indicazioni stradali

1. Unire tutti gli ingredienti in una ciotola o in un contenitore e condire con sale e pepe. Utilizzare immediatamente o conservare in frigorifero.

Nutrizione: Calorie: 109, Sodio: 33 mg, Fibre alimentari: 1,6 g, Grassi totali: 4,3 g, Carboidrati totali: 16,4 g, Proteine: 1,6 g.

Condimento alla curcuma e limone

Tempo di preparazione: 10 minuti

Tempo di cottura: 30 minuti

Porzioni: 1

Ingredienti

- 1 cucchiaino di curcuma
- 4 cucchiai di olio d'oliva
- Succo di 1 limone

Indicazioni stradali

1. Unire tutti gli ingredienti in una ciotola e servire con insalate. Mangiare subito.

Nutrizione: Calorie: 125, Sodio: 32 mg, Fibre alimentari: 1,6 g, Grassi totali: 3,3 g, Carboidrati totali: 16,3 g, Proteine: 1,5 g.

Noce e pesto di menta

Tempo di preparazione: 10 minuti

Tempo di cottura: 10 minuti

Porzioni: 1

Ingredienti

- 6 cucchiai di foglie di menta fresca
- 2oz noci
- 2 spicchi d'aglio
- 3½oz Parmigiano Reggiano
- 1 cucchiaio di succo di limone

Direzione

1. Mettere tutti gli ingredienti in un robot da cucina e frullare fino a quando non diventa una pasta liscia.

Nutrizione: Calorie: 99, Sodio: 33 mg, Fibre alimentari: 1,6 g, Grassi totali: 4,4 g, Carboidrati totali: 16,4 g, Proteine: 1,6 g.

Zuppa nuziale

Tempo di preparazione: 5 minuti

Tempo di cottura: 10 minuti

Porzioni: 4

Ingredienti:

- ½ c. farina di mandorle
- ½ c. parmigiano reggiano grattugiato
- ½ cipolla gialla, tagliata a dadini
- 1 libbra di carne macinata
- 1 lg. di uovo sbattuto

- 1 cucchiaino di condimento italiano
- 1 cucchiaino di origano, fresco e tritato
- 1 cucchiaino di timo, fresco e tritato
- 2 c. spinaci a foglia di bebè, freschi
- 2 c. cavolfiore, riccio
- 2 gambi di sedano med. tagliati a dadini
- 2 cucchiai di olio extra vergine di oliva
- 3 spicchi d'aglio tritato
- 6 c. brodo di pollo
- Sale marino e pepe a piacere

Direzione:

1. In una grande terrina, unire la farina di mandorle, il parmigiano, la carne di manzo macinata, l'uovo, il sale, il pepe e il condimento italiano. Mescolare accuratamente per banda
2. Modellare il composto di carne in polpette di un pollice, coprire e mettere in frigorifero fino a quando non è pronto per la cottura.
3. In una pentola grande a fuoco medio scaldare l'olio d'oliva.
4. Una volta che l'olio è caldo, mescolate il sedano e la cipolla nella padella e condite a piacere con sale e pepe.
5. Mescolando spesso, portare la cipolla e il sedano ad una leggera cottura, circa sei o sette minuti.

6. Aggiungere l'aglio nella padella, mescolare e lasciar cuocere ancora un minuto.
7. Mescolare il brodo di pollo, l'origano fresco e il timo fresco nella padella e mescolare.
8. Portare la miscela ad ebollizione.
9. Abbassare il calore e lasciare cuocere a fuoco lento per circa dieci minuti prima di aggiungere cavolfiore e polpette.
10. Lasciare cuocere per circa cinque minuti o fino a quando le polpette non sono completamente cotte.
11. Aggiungere gli spinaci alla zuppa e mescolare per circa uno o due minuti, o fino a quando non sono sufficientemente appassiti.
12. Aggiungere condimento secondo necessità.
13. Servire caldo!

Nutrizione: Calorie: 420 Carboidrati: 4 grammi Grassi: 26 grammi Proteine: 6,5 grammi

RICETTE DI SUPERFICIE

Vinaigrette

Tempo di preparazione: 10 minuti

Tempo di cottura: 10 minuti

Dosi: 2

Ingredienti:

- Un cucchiaino di senape gialla
- Un cucchiaio di aceto di vino bianco
- 1 cucchiaino di miele
- 165 ml di olio d'oliva preparato:

Indicazioni stradali

1. Mescolare senape, aceto e miele in una ciotola.
2. Aggiungere una piccola quantità di olio d'oliva e mescolare fino a quando l'aceto non si addensa.
3. Condite con sale e pepe.

Nutrizione: Calorie: 1495, Sodio: 33 mg, Fibre alimentari: 1,4 g, Grassi totali: 4,3 g, Carboidrati totali: 16,2 g, Proteine: 1,5 g.

Stufato di maiale messicano

Tempo di preparazione: 15 minuti

Tempo di cottura: 2 ore e 10 minuti

Porzioni: 1

Ingredienti:

- 3 cucchiai di burro non salato
- Costolette di maiale disossate da 2½ libbre, tagliate a cubetti da ¾ di pollice
- 1 cipolla gialla grande, tritata

- 4 spicchi d'aglio, schiacciati
- 1½ C. brodo di pollo fatto in casa
- 2 (10 oz.) lattine di pomodori a dadini senza zucchero
- 1 C. peperoncini poblano arrostiti in scatola
- 2 cucchiai di origano essiccato
- 1 cucchiaino di cumino macinato
- Sale, a piacere
- ¼ C. coriandolo fresco, tritato
- 2 cucchiai di succo di lime fresco

Direzione:

1. In un tegame capiente, sciogliere il burro a fuoco medio-alto e cuocere la carne di maiale, le cipolle e l'aglio per circa 5 minuti o fino a farla rosolare.
2. Aggiungere il brodo e raschiare i pezzi rosolati.
3. Aggiungere i pomodori, il peperoncino poblano, l'origano, il cumino e il sale e portare ad ebollizione.
4. Ridurre il calore a medio-basso e far bollire lentamente, coperto per circa 2 ore.
5. Mescolare il succo fresco di coriandolo e lime e togliere dal fuoco.
6. Servire caldo.

Nutrizione: Calorie: 288 Carboidrati: 8,8g Proteine: 39,6g Grassi: 10,1g Zucchero: 4g Sodio: 283mgFibra: 2,8g

Zuppa di curry

Tempo di preparazione: 25 minuti

Tempo di cottura: 20 minuti

Porzioni: 4

Ingredienti:

- ¾ cucchiaino di cumino
- ¼ c. semi di zucca, crudi
- ½ cucchiaino di aglio in polvere
- ½ cucchiaino di paprika ½ cucchiaino di sale marino
- 1 c. latte di cocco non zuccherato
- 1 spicchio d'aglio tritato
- 1 med. cipolla, tagliata a dadini
- 2 c. carote, tritate
- 2 cucchiai di curry in polvere
- 3 c. cavolfiore, riccio
- 3 cucchiai di olio extra vergine di oliva, diviso
- 4 c. cavolo riccio, tritato
- 4 c. brodo vegetale
- Sale marino e pepe a piacere

Direzione:

1. Ascoltate una grande padella a fuoco medio con 2 cucchiai di olio d'oliva. Una volta che l'olio è caldo, aggiungere il cavolfiore di riso alla padella insieme al curry in polvere, il cumino, il sale, la paprica e l'aglio

in polvere. Mescolare accuratamente per amalgamare.

2. Durante la cottura, mescolare di tanto in tanto. Una volta riscaldato il cavolfiore, toglierlo dal fuoco.
3. In una pentola grande a fuoco medio, aggiungere il resto dell'olio d'oliva. Quando sarà caldo, aggiungete la cipolla e lasciate cuocere per circa quattro minuti. Aggiungete l'aglio e lasciate cuocere per altri due minuti circa.
4. Alla pentola grande, aggiungere il brodo, i cavoli, le carote e il cavolfiore. Mescolare per incorporare completamente.
5. Lasciar bollire il composto, abbassare il fuoco e lasciare cuocere la zuppa per circa 15 minuti.
6. Mescolare il latte di cocco nel composto con sale e pepe a piacere.
7. Guarnire con semi di zucca e servire caldo!

Nutrizione: Calorie: 274 Carboidrati: 11 grammi Grassi: 19 grammi Proteine: 15 grammi

Stufato invernale Comfort

Tempo di preparazione: 15 minuti

Tempo di cottura: 50 minuti

Porzioni: 6

Ingredienti:

- 2 cucchiai di olio d'oliva
- 1 piccola cipolla gialla, tritata
- 2 spicchi d'aglio, tritati
- Manzo da 2 libbre alimentato con erba, tagliato a cubetti da 1 pollice
- 1 (14-oz.) può pomodori schiacciati senza zucchero
- 2 cucchiai di pimento macinato
- 1½ cucchiaino e mezzo di scaglie di peperone rosso
- ½ C. brodo di manzo fatto in casa
- 6 oz. di olive verdi, snocciolate
- 8 oz. di spinaci freschi per bambini
- 2 cucchiai di succo di limone fresco
- Sale e pepe nero appena macinato, a piacere
- ¼ C. coriandolo fresco, tritato

Direzione:

1. In una padella, scaldare l'olio in un tegame a fuoco vivo e far soffriggere la cipolla e l'aglio per circa 2-3 minuti.

2. Aggiungere la carne di manzo e farla cuocere per circa 3-4 minuti o fino a quando non è rosolata, mescolando spesso.
3. Aggiungere i pomodori, le spezie e il brodo e portare ad ebollizione.
4. Ridurre il calore a basso e cuocere a fuoco lento, coperto per circa 30-40 minuti o fino a quando non si desidera che la carne di manzo sia ben cotta.
5. Mescolare le olive e gli spinaci e far cuocere a fuoco lento per circa 2-3 minuti.
6. Mescolare il succo di limone, il sale e il pepe nero e togliere dal fuoco.
7. Servire caldo con la guarnizione di coriandolo.

Nutrizione: Calorie: 388 Carboidrati: 8g Proteine: 485g Grassi: 17.7g Zucchero: 2.6g Sodio: 473mgFibra: 3.1g

Stufato di maiale ungherese

Tempo di preparazione: 15 minuti

Tempo di cottura: 2 ore e 20 minuti

Porzioni: 10

Ingredienti:

- 3 cucchiai di olio d'oliva
- Spalla di maiale di 3½ libbre, tagliata in 4 porzioni
- 1 cucchiaio di burro
- 2 cipolle medie, tritate
- Pomodori da 16 oz. schiacciati
- 5 spicchi d'aglio, schiacciati
- 2 peperoni di cera ungheresi, tritati
- 3 cucchiai di paprika dolce ungherese
- 1 cucchiaio di paprika affumicata
- 1 cucchiaino di paprika calda
- ½ cucchiaino di semi di cumino
- 1 foglia di alloro
- 1 C. brodo di pollo fatto in casa
- 1 confezione di gelatina non aromatizzata
- 2 cucchiai di succo di limone fresco
- Pizzico di gomma di xantano
- Sale e pepe nero appena macinato, a piacere

Indicazioni:

1. In un tegame a fondo pesante, scaldare 1 cucchiaio d'olio a fuoco vivo e scottarlo per circa 2-3 minuti o fino a quando non è rosolato.
2. Trasferire la carne di maiale su un piatto e tagliarla a pezzettini.
3. Nella stessa padella, scaldare 1 cucchiaio di olio e burro a fuoco medio-basso e far soffriggere le cipolle per circa 5-6 minuti.
4. Con un cucchiaio a fessura trasferire la cipolla in una ciotola.
5. Nella stessa padella, aggiungere i pomodori e far cuocere per circa 3-4 minuti, senza mescolare.
6. Nel frattempo, in una piccola padella, scaldare l'olio rimasto a fuoco lento e far soffriggere l'aglio, i peperoni di cera, tutti i tipi di paprika e i semi di cumino per circa 20-30 secondi.
7. Togliere dal fuoco e mettere da parte.
8. In una piccola ciotola, mescolare insieme la gelatina e il brodo.
9. Nella padella grande, aggiungere la carne di maiale cotta, il composto di aglio, la gelatina e l'alloro e portare a ebollizione.

10. Ridurre il calore a basso e far bollire lentamente, coperto per circa 2 ore.
11. Mescolare la gomma xantano e far bollire a fuoco lento per circa 3-5 minuti.
12. Mescolare il succo di limone, il sale e il pepe nero e togliere dal fuoco.
13. Servire caldo.

Nutrizione: Calorie: 529 Carboidrati: 5,8g Proteine: 38,9g Grassi: 38,5g Zucchero: 2,6g Sodio: 216mgFibra: 2,1g

Stufato di cena del fine settimana

Tempo di preparazione: 15 minuti

Tempo di cottura: 55 minuti

Porzioni: 6

Ingredienti:

- 1½ libbra e mezzo di carne di manzo in umido alimentata con erba, tagliata e tagliata a cubetti da 1 pollice
- Sale e pepe nero appena macinato, a piacere
- 1 cucchiaio di olio d'oliva
- 1 C. passata di pomodoro fatta in casa
- 4 C. brodo di manzo fatto in casa
- 2 C. zucchine, tritate
- 2 costole di sedano a fette
- ½ C. carote pelate e affettate
- 2 spicchi d'aglio, tritati
- ½ cucchiaio di timo essiccato
- 1 cucchiaino di prezzemolo secco
- 1 cucchiaino di rosmarino essiccato
- 1 cucchiaio di paprika
- 1 cucchiaino di cipolla in polvere
- 1 cucchiaino di aglio in polvere

Indicazioni:

1. In una ciotola capiente, aggiungere i cubetti di manzo, sale e pepe nero e mescolare bene.
2. In una padella grande, scaldare l'olio a fuoco medio-alto e cuocere i cubetti di manzo per circa 4-5 minuti o fino a farli dorare.
3. Aggiungere gli altri ingredienti e mescolare.
4. Aumentare il calore fino a raggiungere l'ebollizione.
5. Ridurre il calore a basso e far bollire lentamente, coperto per circa 40-50 minuti.
6. Mescolare il sale e il pepe nero e togliere dal fuoco.
7. Servire caldo.

Nutrizione: Calorie: 293 Carboidrati: 8g Proteine: 9.3g Grassi: 10.7g Zucchero: 4g Sodio: 223mg Fibre: 2.3g

Zuppa di pollo giallo

Tempo di preparazione: 15 minuti

Tempo di cottura: 25 minuti

Porzioni: 5

Ingredienti:

- 2½ cucchiai e mezzo di curcuma macinata
- 1½ cucchiaino e mezzo di cumino macinato
- 1/8 di cucchiaino pepe di cayenna
- 2 cucchiai di burro, diviso
- 1 piccola cipolla gialla, tritata
- 2 C. cavolfiore tritato
- 2 C. broccoli, tritati
- 4 C. brodo di pollo fatto in casa
- 1½ C. acqua
- 1 cucchiaino di radice di zenzero fresco, grattugiato
- 1 foglia di alloro
- 2 C. Bietole da costa, tagliate e tritate finemente
- ½ C. latte di cocco non zuccherato
- 3 (4 oz.) cosce di pollo disossate, senza pelle e senza erba, tagliate a pezzettini
- 2 cucchiai di succo di lime fresco

Direzione:

1. In una piccola ciotola mescolate insieme la curcuma, il cumino e il pepe di cayenna e mettete da parte.

2. Ina una padella grande, sciogliere 1 cucchiaio di burro a fuoco medio e far soffriggere la cipolla per circa 3-4 minuti.
3. Aggiungere il cavolfiore, i broccoli e metà del composto di spezie e far cuocere per altri 3-4 minuti.
4. Aggiungere il brodo, l'acqua, lo zenzero e l'alloro e portare ad ebollizione.
5. Ridurre il calore al minimo e far bollire lentamente per circa 8-10 minuti.
6. Mescolare le bietole e il latte di cocco e cuocere per circa 1-2 minuti.
7. Nel frattempo, in una grande padella, sciogliere il burro rimasto a fuoco medio e scottare i pezzi di pollo per circa 5 minuti.
8. Mescolare il restante mix di spezie e cuocere per circa 5 minuti, mescolando spesso.
9. Trasferire la zuppa in ciotole da portata e guarnire con i pezzi di pollo.
10. Spruzzare con succo di lime e servire.

Nutrizione: Calorie: 258 Carboidrati: 8.4g Proteine: 18.4g Grassi: 16.8g Zucchero: 3g Sodio: 753mgFibra: 2.9g

Stufato ideale a freddo

Tempo di preparazione: 20 minuti

Tempo di cottura: 2 ore e 40 minuti

Porzioni: 6

Ingredienti:

- 3 cucchiai di olio d'oliva, diviso

- 8 oz. di funghi freschi, squartati
- 1¼ lb. di carne di manzo arrosto, tagliata e tagliata a cubetti da 1 pollice
- 2 cucchiai di concentrato di pomodoro
- ½ cucchiaino di timo essiccato
- 1 foglia di alloro
- 5 C. brodo di manzo fatto in casa
- 6 oz. di radice di sedano, pelata e tagliata a cubetti
- 4 oz. di cipolle gialle, tritate grossolanamente
- 3 oz. di carota pelata e affettata
- 2 spicchi d'aglio, affettati
- Sale e pepe nero appena macinato, a piacere

Direzione:

1. In un forno olandese, scaldare 1 cucchiaio d'olio a fuoco medio e cuocere i funghi per circa 2 minuti, senza mescolare.
2. Mescolare il fungo e cuocere ancora per circa 2 minuti.
3. Con un cucchiaio a fessura, trasferire il fungo su un piatto.
4. Nella stessa padella, scaldare l'olio rimanente a fuoco medio-alto e scottare i cubetti di manzo per circa 4-5 minuti.
5. Mescolare il concentrato di pomodoro, il timo e l'alloro e cuocere per circa 1 minuto.

6. Mescolare il brodo e portare ad ebollizione.
7. Ridurre il calore a basso e far bollire lentamente, coperto per circa 1 ora e mezza.
8. Mescolare i funghi, il sedano, la cipolla, la carota e l'aglio e far bollire per circa 40-60 minuti.
9. Mescolare il sale e il pepe nero e togliere dal fuoco.
10. Servire caldo.

Nutrizione: Calorie: 447 Carboidrati: 7.4g Proteine: 30.8g Grassi: 32.3g Zucchero: 8g Sodio: 764mgFibra: 1.9g